Vieux Thomas

ET LA PETITE FÉE

Données de catalogage avant publication (Canada)

Demers, Dominique

Vieux Thomas et la petite fée
Pour enfants.

ISBN 2-89512-138-9 (br.)
ISBN 2-89512-139-7 (rel.)

I. Poulin, Stéphane. II. Titre.

PS8557.E468V53 2000   jC843'.54   C00-940552-6
PS9557.E468V53 2000
PZ23.D45Vi 2000

Éditrice : Dominique Payette
Directrice de collection : Lucie Papineau
Graphisme : Primeau & Barey

Dépôts légaux : 3ᵉ trimestre 2000
Bibliothèque nationale du Québec
Bibliothèque nationale du Canada

Dominique et compagnie
300, rue Arran
Saint-Lambert (Québec) J4R 1K5
Téléphone : (514) 875-0327
Télécopieur : (450) 672-5448
Courriel : info@editionsheritage.com

Imprimé en Chine
10 9 8 7 6 5 4 3 2

Nous remercions le Conseil des Arts du Canada de l'aide accordée à notre programme de publication, ainsi que la SODEC et le ministère du Patrimoine canadien.

À Lucie Papineau
En toute amitié
D.D.

À Marilou,
petite féé trouvée
dans un chou
S.P.

05120 1470

Vieux Thomas

ET LA PETITE FÉE

Texte : Dominique Demers
Illustrations : Stéphane Poulin

Vieux Thomas n'avait peut-être pas encore cent ans, mais il était vraiment très vieux. Il vivait seul parmi les mouettes et les cormorans. Il ne pêchait plus. Vieux Thomas était en colère contre le monde entier.

Un soir qu'il arpentait la plage en lançant des injures aux étoiles et aux vagues, il découvrit une fillette minuscule échouée sur le sable.

Elle était à peine grande comme une allumette. Sa peau était froide et ses vêtements en pièces, mais son cœur battait encore. Vieux Thomas la cueillit dans sa grande main. Elle ne remua même pas, et il eut l'impression qu'elle ne pesait rien.

Vieux Thomas s'était juré de ne plus jamais se mêler aux humains. Ils l'avaient trop fait souffrir. Mais la fillette, dans sa paume, était extraordinairement petite. « Si je l'abandonne, la mer l'avalera à la première marée », se dit-il.

Dans sa cabane battue par les vents sauvages,
Vieux Thomas entreprit de sauver la petite
fille. Il la coucha dans un coquillage nacré
et déchira des morceaux de sa chemise pour
la couvrir. Puis, lentement, patiemment, il fit
couler de l'eau de pluie entre ses lèvres.

Durant trois nuits et autant de jours, il la veilla. Le cœur de la petite fille palpitait toujours, mais ses yeux restaient clos et tous ses membres étaient immobiles. Le vieil homme était désespéré.

Lorsque le soleil réapparut, Vieux Thomas sortit pour lui crier des insultes. Mais le vieux pêcheur découvrit que sa rage l'avait quitté. Il n'était plus le même. Il avait changé. Alors, il ferma les yeux, huma l'air salin et murmura une prière secrète au soleil, à la mer et au vent.

À son retour, la petite fille avait ouvert les yeux.

Le vieil homme recommença à pêcher. Il rapportait à sa
minuscule protégée de longs poissons brillants à la chair
savoureuse. Et, pour elle, il fouillait la berge en quête
de petits fruits sucrés.
– Je vais devenir énorme, protestait la fillette en riant.
Elle avalait avec appétit de menues bouchées.

En la regardant, Vieux Thomas sentait son cœur danser. Parfois, même,
il se surprenait à songer : « C'est peut-être une fée ! »

Le soir, au lieu de ruminer de sombres pensées, Vieux Thomas
écoutait le chant des vagues et contemplait sa petite fée sautillant
sous les étoiles. Il était heureux.

Un matin, pendant que Thomas était en mer, un chien errant affamé renifla l'odeur de l'enfant.

Vieux Thomas venait de capturer un magnifique poisson aux nageoires d'or et d'argent lorsqu'il se sentit envahi par un terrible pressentiment. Il abandonna sa prise et rama de toutes ses forces jusqu'au rivage.

La petite fille avait entendu les grondements
du chien sauvage. Elle grimpa bravement jusqu'à
l'unique étagère de la cabane et s'y cacha. Elle
tremblait de tous ses membres en imaginant
l'haleine du chien, sa langue râpeuse et ses dents
pointues, brillantes comme un quartier de lune.

Plus Vieux Thomas se rapprochait, plus il sentait la panique monter en lui. Sa petite fée était en danger. Il en était sûr.

D'un puissant coup de patte, le chien poussa la porte.
Il trouva, tout près, une cuve remplie de beaux poissons bien gras, mais il ne s'y intéressa même pas. La vilaine bête était hantée par le parfum exquis de la petite fille.

L'animal rôdait, la queue basse, les oreilles dressées,
le museau frémissant. Il se mit à griffer le sol au pied de
l'étagère et poussa un hurlement terrible. On aurait dit
un loup.

Soudain, il bondit et renversa l'étagère.

Vieux Thomas aperçut d'abord
le chien sauvage. Puis sa petite
fée étendue parmi les éclats
de porcelaine. N'écoutant que
son courage, il se jeta sur
la bête écumante.

La fillette s'était évanouie de frayeur. Lorsqu'elle reprit conscience, la bête avait fui. Vieux Thomas gisait sur le sol, le corps cruellement marqué par les griffes et les crocs de l'abominable chien. La minuscule enfant grimpa sur la poitrine de son vieil ami et y pressa son oreille. Le cœur de Vieux Thomas battait encore faiblement.

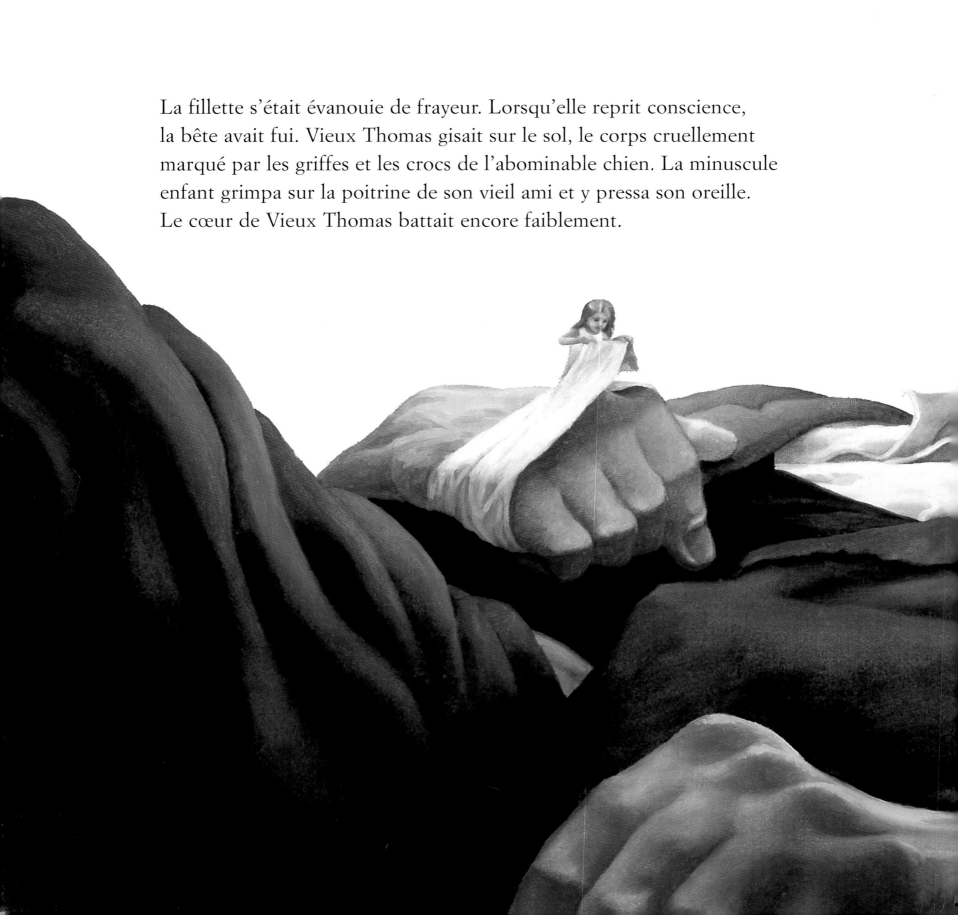

Au prix d'efforts inouïs, la petite fille
nettoya les blessures de Vieux Thomas et
lui donna à boire. Elle lui apporta même
du poisson et des petits fruits. Mais il
n'en voulait pas.

Il savait qu'il allait mourir. Et il se
sentait prêt. Il n'avait pas envie d'injurier
la lune ou la mer, le soleil ou le vent.
Sa petite fée était là, à ses côtés, saine
et sauve, merveilleusement vivante.
Vieux Thomas était content.

À la tombée du jour, il se leva péniblement et marcha lentement vers la mer. C'est là qu'il souhaitait disparaître, parmi les poissons aux écailles lumineuses et les coquillages enfouis.

Une haute vague l'emporta bientôt. Au même moment, des centaines d'oiseaux de mer, goélands, mouettes, pluviers et cormorans, poussèrent un cri déchirant.

La mer se retira peu à peu, oubliant sur la berge des cailloux multicolores, des rubans d'algues et des pépites nacrées.

Sinon, la plage était déserte.
La petite fille avait disparu.

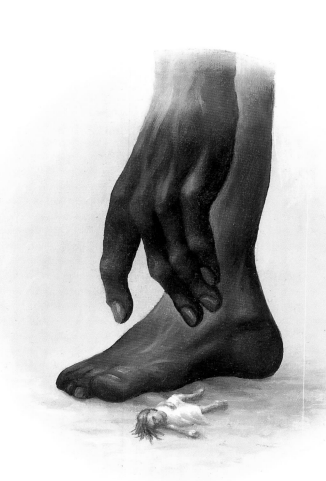